Nos amis les chiots

Broquet

97-B, Montée des Bouleaux,
Saint-Constant, Qc, Canada, J5A 1A9
Tél.: 450 638-3338 Téléc.: 450 638-4338
info@broquet.qc.ca www.broquet.qc.ca

Catalogage avant publication de Bibliothèque et Archives
nationales du Québec et Bibliothèque et Archives Canada

Claybourne, Anna
   [Cutest puppies ever!. Français]
   Nos amis les chiots
   Traduction de: Cutest puppies ever!.
   Pour enfants de 7 ans et plus.
   ISBN 978-2-89654-540-7
   1. Chiots - Ouvrages pour la jeunesse. I. Titre. II. Titre:
Cutest puppies ever!. Français.

SF426.5.C5214 2017   j636.7'07   C2016-941647-X

Nous reconnaissons l'aide financière du gouvernement du
Canada. We acknowledge the financial support of the Govern-
ment of Canada. Nous remercions également livres Canada
books™, ainsi que le gouvernement du Québec: Programme
de crédit d'impôt pour l'édition de livres – la Société de
développement des entreprises culturelles (SODEC).

Canada   Québec

Titre original: *Cutest Puppies Ever!*

Copyright © QED Publishing 2016

Première publication au Royaume-Uni en 2016
par QED Publishing
Membre de The Quarto Group
The Old Brewery, 6 Blundell Street
Londres, N7 9BH, Royaume-Uni

Édition: Maxime Boucknooghe
Conception: Tracy Killick Art Direction & Design
Rédaction: Victoria Garrard
Direction artistique: Miranda Snow
Traduction et adaptation: Jean Roby
et Christiane Laramée
Révision: Diane Martin

Édition canadienne en langue française
Copyright © Ottawa 2017 Broquet inc.
Dépôt légal – Bibliothèque et Archives nationales
du Québec
1er trimestre 2017

ISBN 978-2-89654-540-7

Imprimé en Chine

Table des matières

Quel est le plus mignon d'entre eux ?
Poursuis ta lecture et trouve-le !

Lévrier afghan

Sa robe à poils longs et soyeux, ses oreilles pendantes, ses grosses pattes et son museau allongé donnent au chiot afghan un air comique.

Toutefois, ne t'y trompe pas : cette race ancienne et fière est celle d'un lévrier super rapide qui saute avec élégance.

Néanmoins, il a aussi un côté espiègle… il est excellent pour s'approcher sans bruit et piquer ta collation sous ton nez !

Akita Inu

Comme cette boule de poil super duveteuse est adorable! Fais la connaissance de l'akita inu, un chien de garde brave et fiable du Japon, avec sa fourrure épaisse pour affronter la neige.

Le chiot akita n'est pas seulement mignon, mais il est également calme, discret et décontracté. Plutôt que de japper ou de gémir, il se roulera tout simplement en boule pour une sieste!

Malamute de l'Alaska

Ce mignon chiot duveteux ressemble beaucoup à un loup… et il *agit* beaucoup comme un loup !

Élevé pour les conditions froides et neigeuses, le malamute adore l'exercice. Il a besoin de courir dehors, sinon il perdra la tête, hurlera, grugera ton lit ou dévastera les poubelles !

Malgré tout cela, c'est un animal de compagnie amical et loyal.

Bouledogue américain

Tu peux reconnaître le bouledogue par sa grosse tête, son museau court et sa grande gueule. Quand il est chiot, il paraît tout à fait adorable.

Le bouledogue américain a été élevé pour être un chien de ferme extérieur et fort ; il a donc besoin de BEAUCOUP d'exercice.

Le chiot est bruyant, enjoué, drôle et nerveux… et il bave beaucoup aussi ! Hè !

Terrier American Staffordshire

Même quand il est un chiot, le terrier American Staffordshire est un chien puissant et brave.

Les gens ont peur parfois de ce chiot, à cause de ses grosses dents. Pourtant, il compte parmi les chiots les plus adorables, accommodants et ayant bon caractère que tu puisses croiser.

Il bondit partout, saute pour t'accueillir et te donne un gros baiser dégoulinant!

Basset hound

Avec ses grosses pattes, ses longues oreilles pendantes et ses yeux suppliants, le chiot basset hound est doux, pataud et tellement mignon !

Ce chiot amical et heureux a un flair exceptionnel et il aime renifler les choses.

Il aime aussi le monde, la nourriture… et paresser et somnoler dès qu'il le peut.

Beagle

Le chiot beagle pourrait presque tenir dans ta main. Il est toujours prêt à faire des bêtises : mâchouiller des objets, prendre la cuisine d'assaut pour de la nourriture ou s'échapper pour suivre une odeur intrigante.

C'est une chance qu'il soit également drôle, affectueux et si mignon ! Devant les grands yeux bruns d'un chiot beagle, tu es prêt à tout pardonner.

Collie barbu

Si tu désires un chiot qui ne cesse de sauter partout, un collie barbu est ce qu'il te faut !

Son nom lui vient de sa fourrure douce, soyeuse et imperméable. Chez ce collie, enthousiasme inépuisable et espièglerie sont innés.

Loyal, gentil et agréable, ce chiot à la queue toujours en mouvement est un animal de compagnie vraiment amusant.

Bouvier bernois

Robuste et intelligent, ce chiot est aussi de nature très agréable.

Grand chien à la fourrure épaisse, le bouvier bernois a été conçu pour travailler sur les fermes des froides montagnes suisses. Le chiot n'aime rien de plus que se rouler et s'ébattre dans la neige.

Enjoué et amical, il adore les enfants.

Bichon frisé

Minuscule, câlin, doux et duveteux, le bichon frisé est le plus adorable des chiots.

Calme, il adore les enfants et cherche toujours à interagir.

En fait, le bichon est si gentil, attentif et sensible, qu'on l'utilise souvent comme chien de thérapie. On l'amène fréquemment dans des hôpitaux ou des maisons de repos pour qu'il se blottisse contre les patients et les réconforte.

Border collie

Ce chiot semble regarder ton âme…
et peut-être qu'il le fait !

Très intelligent, le border collie développe un lien étroit avec les humains. Certains propriétaires disent que leur chien peut même lire dans leur esprit !

Le border collie a été conçu pour rassembler les moutons. Il adore être occupé comme chien de travail ou apprendre des tours.

Barzoï

Agréable, sensible et décontracté, voilà le chiot barzoï. Jusqu'à ce que, vois-tu, il aperçoive quelque chose à pourchasser et qu'il disparaisse à une vitesse incroyable!

En Russie, pays d'origine de cette race, le mot « barzoï » signifie « rapide ».

Le chiot est aussi affectueux et il adore se pelotonner sur tes genoux… même quand il est un peu trop gros!

Épagneul Cavalier King Charles

Imagine que tu caresses les longues oreilles souples et soyeuses de ce chiot !

Doux et amical, un chiot épagneul Cavalier King Charles est le compagnon charmant par excellence.

Il adore se rouler en boule sur tes genoux pour avoir un peu d'attention. Cependant, c'est aussi un coureur rapide qui pourchassera n'importe quoi : des balles, des chats, des écureuils et même des oiseaux et des papillons !

Chihuahua

Comme le chihuahua est le plus petit chien du monde, imagine combien le chiot est minuscule et mignon!

Cela dit, il compense sa petite taille par beaucoup de personnalité : il est intelligent, coquin, curieux, comique et excentrique.

Il n'exige pas beaucoup d'exercice et préfère être transporté dans un sac à main ou se blottir dans un coin confortable.

Chien chinois à crête

Ce drôle de chien est aussi appelé houppette à poudre : mignon, n'est-ce pas ?

Le chien chinois à crête a souvent la peau nue ou presque, avec une grosse touffe de poils sur la tête.

Ce chiot est un compagnon affectueux. Il montera sur ton lit, prendra possession de tes genoux et te fera même un câlin avec ses pattes autour de ton cou. Ahhhhhh !

Chow-chow

Se pourrait-il que ce soit LUI, le plus mignon des chiots ?
Avec sa face plissée, ses oreilles froissées et son air légèrement
grincheux, un chiot chow-chow te chavirera tout simplement
le cœur !

Le chow-chow est originaire de Chine, où on l'appelle « chien-lion boursoufflé ». Fait inhabituel, sa langue est bleu-noir. Il est doué pour apprendre des tours.

Cockapoo

Essaie seulement de dire « Non! »
à cette adorable petite face.
Tu ne pourrais pas, n'est-ce pas ?

Peu de chiots sont plus mignons, amicaux et affectueux qu'un cockapoo, croisement entre un caniche et un épagneul cocker.

Une fois qu'il se sera lié d'amitié avec toi, le chiot cockapoo ne voudra plus jamais te quitter.

Corgi

Avec ses courtes pattes trapues, sa face enthousiaste et sa robe duveteuse, le chiot corgi est un vrai jouet vivant en peluche !

Cependant, le corgi n'est pas seulement mignon : c'est un chien fiable et courageux qui aime assurer la garde de la maison familiale.

Il aime les enfants, mais attention : un chiot corgi peut parfois être vilain et te mordre légèrement !

Teckel

Le teckel est aussi appelé « chien saucisse »… et, ça aussi, c'est mignon !

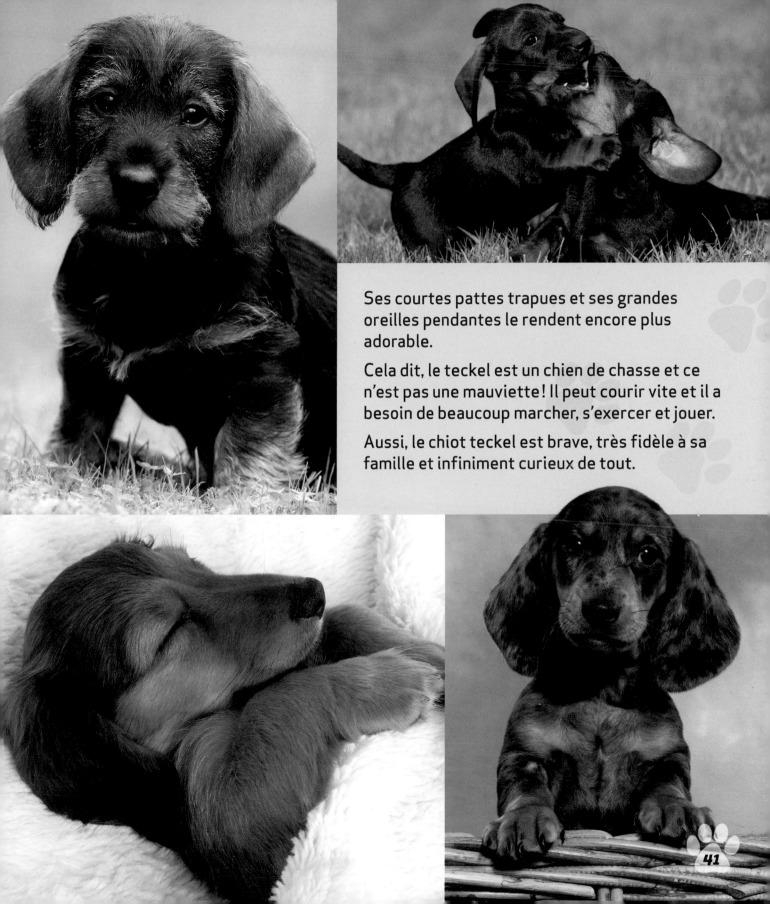

Ses courtes pattes trapues et ses grandes oreilles pendantes le rendent encore plus adorable.

Cela dit, le teckel est un chien de chasse et ce n'est pas une mauviette! Il peut courir vite et il a besoin de beaucoup marcher, s'exercer et jouer.

Aussi, le chiot teckel est brave, très fidèle à sa famille et infiniment curieux de tout.

Dalmatien

Célèbre pour sa splendide robe tachetée,
voici un chiot qui a BEAUCOUP de caractère.

Le chiot dalmatien possède une énergie époustouflante inépuisable et la queue la plus frétillante qui soit ! Il adore tout simplement te grimper dessus et il aime les enfants et la famille.

Il est dynamique, turbulent et, parfois, tu seras franchement débordé !

Dobermann Pinscher

Note les yeux vifs et intelligents de ce chiot!

Même quand il n'est qu'un tout petit chiot, le dobermann pinscher est à l'affût, impatient d'explorer, de jouer et de protéger sa famille humaine.

Le dobermann pinscher apprend facilement et peut devenir un chien de garde ou un chien policier brillant. Toutefois, il n'est pas aussi apeurant que certaines gens le pensent : c'est seulement une grosse bonne pâte qui est férocement loyale !

Berger allemand

Si gentil et duveteux, ce magnifique chiot deviendra un chien sûr de soi, brave et dévoué.

Le berger allemand est parmi les chiots de compagnie les plus populaires. Ce chiot adore courir, sauter, rapporter les choses et jouer.

Intelligent, il peut devenir un excellent chien policier, de garde, guide ou sauveteur.

Golden retriever

Ce chiot golden retriever ressemble tout simplement à un tendre, cajoleur et mignon petit ourson !

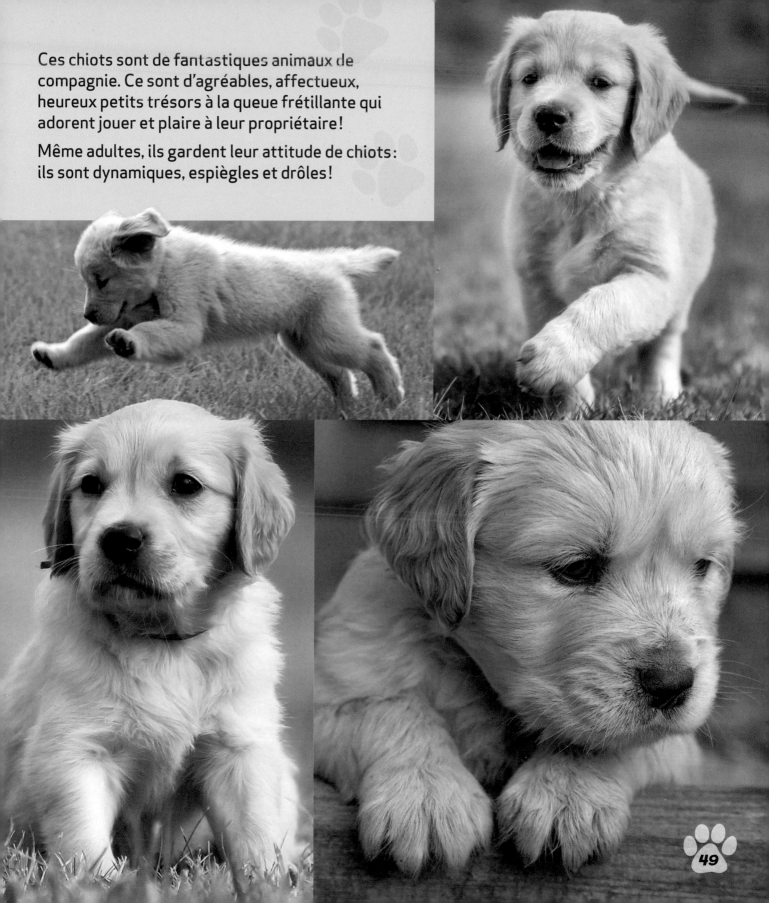

Ces chiots sont de fantastiques animaux de compagnie. Ce sont d'agréables, affectueux, heureux petits trésors à la queue frétillante qui adorent jouer et plaire à leur propriétaire !

Même adultes, ils gardent leur attitude de chiots : ils sont dynamiques, espiègles et drôles !

Grand danois

Aucun chien ne devient beaucoup plus gros qu'un grand danois. Même le chiot est un géant qui jappe fort.

Ce chiot peut être pataud et malpropre, et il fera tomber et écrasera à peu près tout ce qui se trouve dans votre maison alors qu'il bondit en frétillant de la queue !

Mais dans le fond, il est gentil, facile à vivre et affectueux.

Lévrier

Le lévrier est un coureur RAPIDE. Même le chiot a de longues pattes et un corps mince et il adore pourchasser tout ce qui se présente.

Après avoir couru à satiété, le chiot lévrier est calme, doux et gentil.

Parce qu'il a le poil court, le lévrier peut avoir froid. Donc, s'il fait froid, trouve un manteau confortable pour ton petit lévrier !

Bichon havanais

Avec sa douce robe soyeuse, ses yeux brillants et ses oreilles pendantes, le bichon havanais est tout simplement adorable!

Petit, tendre et chaleureux, ce chiot a besoin d'être près des gens. Ne le laisse pas longtemps seul: il s'ennuiera trop! Ahhhh!

Ces chiots sont aussi enjoués, curieux, habiles et doués pour apprendre des tours.

Setter irlandais

Un chiot setter irlandais est le clown comique du monde des chiens. Il est nerveux, espiègle, curieux et plein d'amour et d'affection.

Avec sa douce robe rousse soyeuse et ses oreilles tombantes, il est aussi agréable à caresser et à cajoler.

Bien qu'il soit un chiot nerveux et agité, il vieillira et deviendra un animal de compagnie fier, brave et loyal.

Irish Wolfhound

Un chiot irish wolfhound est un gros bouffon charmant à la face amusante et aux yeux implorants incroyablement beaux.

Ces chiens doux et gentils ont de très longues pattes et les chiots sont souvent adorablement malhabiles et loufoques. Ils ont aussi besoin de beaucoup de caresses et de câlins.

Par contre, ce ne sont pas de bons chiens de garde : ils sont trop doux !

Terrier Jack Russell

Ce chiot est vif, plein d'entrain, brave, futé et entêté, et il semble avoir une énergie inépuisable.

Il adore pourchasser des objets, attraper des balles, creuser des trous, courir et jouer. Il a besoin de BEAUCOUP d'affection et d'attention, mais il te récompensera par beaucoup de plaisir, d'amour et de loyauté.

Komondor

Où suis-je ? Avec un manteau de laine qui pousse dans tous les sens et souvent devant ses yeux, le mignon chiot komondor ressemble à une vadrouille hyperactive qui se déplace partout en courant sur quatre pattes.

Mais cette race hongroise à poil long est plus résistante qu'elle n'en a l'air.

Le komondor deviendra un gros chien de garde costaud (toujours aux allures de vadrouille), protecteur farouche de sa famille.

Retriever du Labrador

Le retriever du Labrador est affectueux et enjoué et le chiot, plein d'entrain et chaleureux, est très drôle !

Ce chiot adore se rouler, jouer à se battre et pourchasser des objets. Sa face est accueillante et ouverte. Il a de grands yeux pleins d'affection.

Le Labrador a été conçu pour rapporter (aller chercher) des choses dans l'eau ; il aime donc aussi être mouillé.

Schnauzer miniature

Qu'y a-t-il de plus adorable qu'un chiot miniature avec une grosse barbe et des moustaches ?

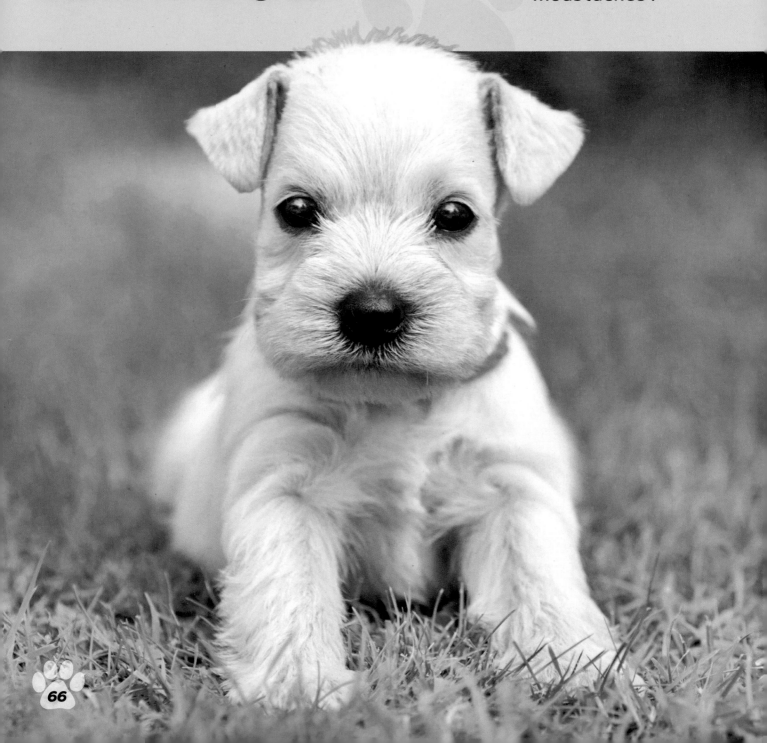

Le schnauzer miniature est un chiot drôle, amical et fougueux dont le poil est très duveteux. Il sauterait par-dessus la lune pour te voir. Il te fera rire en pourchassant des choses et en cherchant à attirer ton attention. Ces chiots ne sont-ils pas mignons ?

Terre-Neuve

Le terre-neuve est un gros… TRÈS gros chien! Par conséquent, un chiot peut causer un vrai chaos en bondissant et sautant partout. PATATRAS!

Néanmoins, ces chiots sont d'excellents animaux de compagnie, car ils sont doux, de bon caractère et toujours gentils.

Le terre-neuve a été créé pour aider les pêcheurs dans l'eau: donc, il ADORE nager… et ses pattes sont même palmées!

Bobtail

Regarde la face de ce chiot : douce, aimable... et tout juste un peu espiègle !

Le chiot bobtail est énergique et il a besoin d'exercice et d'espace.

Il sautera sur toi, bavera, sera couvert de brindilles et laissera des traces de boue sur le plancher.

Mais il compense tout cela : c'est une grosse bonne pâte amicale qui te sera fidèle à jamais.

Épagneul papillon

Cette race est appelée « papillon » à cause de ses belles grandes oreilles qui lui donnent l'air d'un papillon.

Le chiot papillon est vif et amical. Il apprend vite et adore jouer avec son propriétaire.

Il est si petit, gentil et sage que c'est le genre de chiot qu'une star de cinéma transporterait dans son sac à main !

Loulou de Poméranie

Avec une charmante face de renard, une fourrure duveteuse et d'énormes yeux, le chiot poméranien ou « loulou » est super mignon !

Le chiot loulou est amical, sociable, fûté et curieux. Il explorera tout et il est si attentif et alerte que rien ne lui échappera.

Quoiqu'il soit petit, le loulou est fier et sûr de lui… et il aime beaucoup être le favori.

Caniche

Les gens imaginent souvent les caniches comme des chiens duveteux, élégants et mignons, avec leur robe soyeuse frisée et leurs yeux doux. Et ils sont vraiment tout cela !

Mais un chiot caniche n'est pas un empoté. Il excelle à courir, sauter et franchir des obstacles à la course.

Il est aussi très intelligent et adore interagir, jouer et apprendre de nouveaux tours.

Carlin

Il n'y a rien de tel qu'un amusant petit chiot carlin. Avec sa face écrasée et ridée et ses grands yeux écartés, tu pourrais dire qu'il est un peu moche… mais d'une façon *vraiiiiment* mignonne !

Le carlin a un grand sens de l'humour, adore en mettre plein la vue et même se montrer malicieux.

Puli

Cette boule de poils laineux enchevêtrés possède des ressorts cachés sous ses pattes !

Le chiot puli est un acrobate exceptionnel et un sauteur merveilleux. Il est aussi curieux, enjoué, espiègle et autoritaire. Il tentera de manipuler les humains pour les amener à faire ce qu'il veut.

Chien de Rhodésie
à crête dorsale

Il a l'air charmant, mais un chien de Rhodésie à crête dorsale est un dur à cuire.

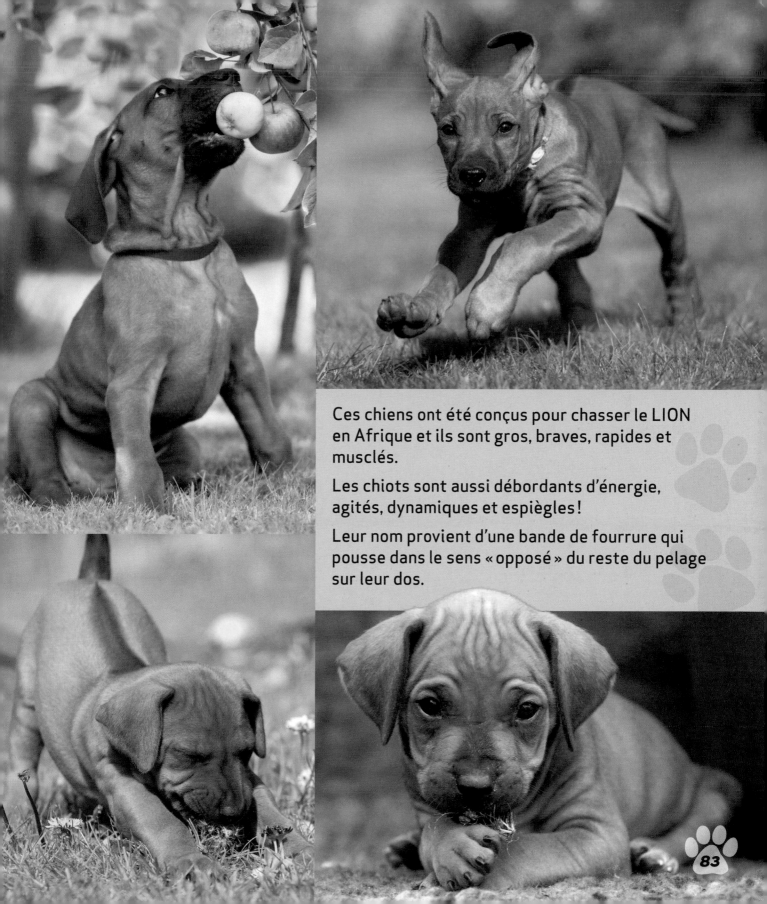

Ces chiens ont été conçus pour chasser le LION en Afrique et ils sont gros, braves, rapides et musclés.

Les chiots sont aussi débordants d'énergie, agités, dynamiques et espiègles !

Leur nom provient d'une bande de fourrure qui pousse dans le sens « opposé » du reste du pelage sur leur dos.

Rottweiler

Le rottweiler est un gros chien massif et bruyant dont le chiot est plein d'énergie et d'enthousiasme.

Il est toujours en train de sauter, de baver et de s'ébattre et, s'il en a la chance, il pourchassera les chats et les chiens plus petits.

Toutefois, avec le dressage, il deviendra un animal de compagnie loyal et affectueux qui aimera sa famille.

Shar-peï

Dès que tu aperçois ce paquet de fourrure plissé, tu veux tout simplement le caresser et le prendre contre toi!

Le shar-peï chinois est prisé pour son allure inhabituelle : peau trop ample, petites oreilles, queue tire-bouchonnée et grosse tête que l'on dit ressembler à celle d'un hippopotame ! Ce sont des chiots calmes, affectueux et zen.

Shih tzu

Le shih tzu a été conçu pour être un compagnon affectueux et, devant son adorable face, tous voudraient le caresser et en prendre soin.

Son nom signifie « chien lion », mais il ne fait preuve d'aucune férocité ! Ce chiot heureux, aux yeux brillants, ne désire que se faire des amis, se reposer sur des genoux ou se blottir dans un lit douillet.

Braque Hongrois

Tu peux voir dans les grands yeux sages de ce chiot combien il est intelligent et gentil.

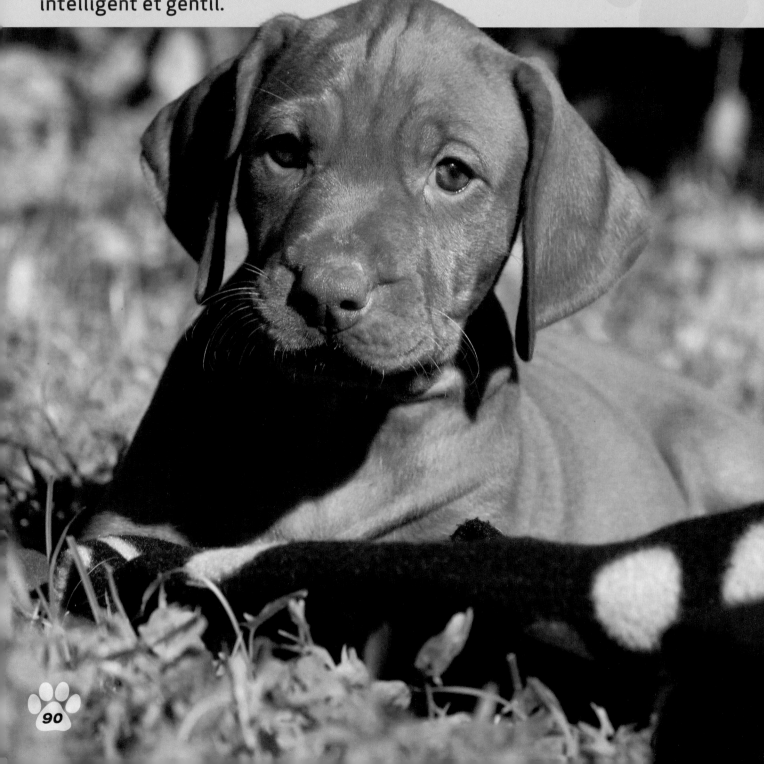

Un chiot braque hongrois apprend vite, et il a un excellent odorat : on lui confie souvent la tâche de chien renifleur.

Mais ce qu'il veut le plus, c'est être avec les gens… et se faire caresser, chouchouter et aimer. Ahhhh !

Braque de Weimar

Avec son pelage gris et lisse, et ses magnifiques grands yeux bleus ou dorés, le braque de Weimar est un chiot superbe.

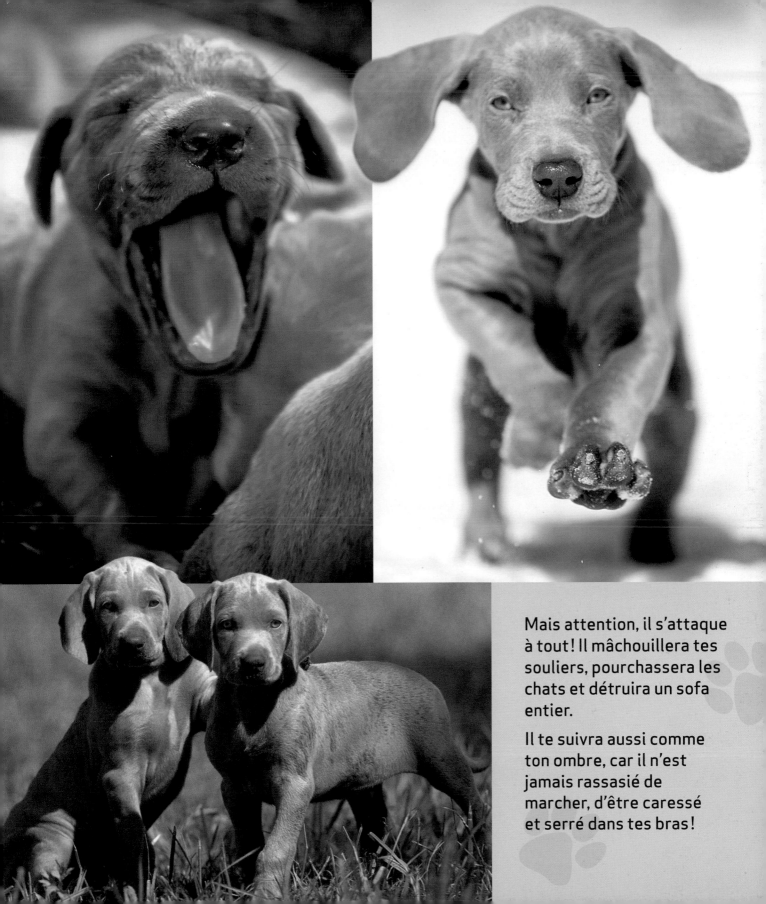

Mais attention, il s'attaque à tout! Il mâchouillera tes souliers, pourchassera les chats et détruira un sofa entier.

Il te suivra aussi comme ton ombre, car il n'est jamais rassasié de marcher, d'être caressé et serré dans tes bras!

Terrier du Yorkshire

Un chiot terrier du Yorkshire est un petit trésor… et il le sait ! Il est minuscule, mais entêté et fougueux, et doté d'une forte personnalité.

Il aime penser que c'est lui qui mène dans la maison, jappe quand des visiteurs arrivent et exige caresses et câlins.

Avec sa longue fourrure soyeuse et ses yeux séduisants, le terrier du Yorkshire est tout simplement irrésistible.

Crédits photographiques